第一套儿童 **自主阅读** 分级读物 第**3**级

喜羊羊与灰太狼
Pleasant Goat and Big Big Wolf

宝宝自己读

生日
礼物

童趣出版有限公司编　人民邮电出版社出版
北　京

第三级100字生字表 ✏

房	屋	楼	窗	桌	椅	床	冰	箱	皮
衣	裤	袜	帽	鞋	围	巾	桃	苹	果
手	脸	脚	眼	睛	生	日	礼	物	岁
今	明	早	午	晚	阴	晴	鼠	龟	他
安	全	危	险	火	电	刀	图	画	课
老	急	忙	快	慢	两	半	在	是	她
方	圆	前	后	左	右	脏	乱	干	净
坐	站	拿	起	追	赶	找	打	扫	搬
唱	歌	跳	舞	想	看	见	听	捉	抓
关	推	拉	摔	玩	盖	动	落	到	吓

如果还有不认识的字也没关系，这里有《宝宝自己读》的识字好帮手——《认读三百字》，快来学习一下吧。

生日礼物

奖励说明：小朋友，只要你努
力读完一页，就能得到一颗聪明之
星！你可以把它涂上喜爱的颜色！
加油哦！

慢 màn　岁 suì

慢羊羊村长的20岁生日要到了。

小羊爱动脑

小朋友，你知道自己的生日是哪一天吗？

小羊们在想，送什么礼物给他呢？

chàng gē
唱 歌

美羊羊的礼物是给慢羊羊村长唱歌。

tiào
跳

wǔ
舞

喜羊羊的礼物是为慢羊羊村长跳舞。

懒羊羊的礼物是做一个大大的
生日蛋糕。

lǎo
老

这一天，羊村的老老少少都来了。

7

慢羊羊村长收到好多好多礼物。

可是好朋友快羊羊却没来。

小羊爱动脑
你知道慢羊羊生日这天，
快羊羊为什么没来吗?

你真棒!

快羊羊今天生病了，不来了。

你真棒!

guī
龟

快羊羊请小乌龟送来了礼物。

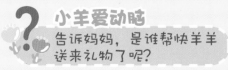
小羊爱动脑
告诉妈妈,是谁帮快羊羊
送来礼物了呢?

小乌龟把装礼物的大箱子送到了门口。

kàn
看

jiàn
见

灰太狼看见大箱子，钻了进去。

13

小羊也看见了门口的大箱子。

它想要是慢羊羊村长看见礼物，
一定会很高兴。

tuī
推

lā
拉

但箱子怎么这么重，小羊推呀拉呀，箱子一动也不动。

16

shuāi

摔

"啊——"小羊不小心摔倒了,箱子掉进河里。

灰太狼正在箱子里高兴呢，进了羊村，他要抓好多好多小羊。

18

咦？怎么箱子里全是水？不好，
灰太狼跳了出来。

小羊看见了水里的灰太狼，高兴地问："灰太狼，你也是来送礼物的吗？"

你真棒!

羊村里,小羊们给慢羊羊村长唱
起了生日歌,他们玩得可开心了。

爸爸要过生日了，赶紧给下面的画涂上颜色吧！说一说小朋友送给爸爸的礼物是什么。

爸爸，生日快乐！

你知道爸爸的生日是哪一天吗？
_____年_____月_____日

妈妈要过生日了，赶紧给下面的画涂上颜色吧，说一说小朋友送给妈妈的礼物是什么。

妈妈，生日快乐！

你知道妈妈的生日是哪一天吗？
_____年_____月_____日

shēng	rì	lǐ	wù	
生	日	礼	物	

lǎo	màn	guī	suì	chàng
老	慢	龟	岁	唱

gē	tiào	wǔ	xiǎng	kàn
歌	跳	舞	想	看

jiàn	tuī	lā	shuāi	shì
见	推	拉	摔	是

危险，小心！

奖励说明：小朋友，只要你努力读完一页，就能得到一颗聪明之星！你可以把它涂上喜爱的颜色！加油哦！

kè
课

今天，羊村小学在上安全课。

26

tú 图　huà 画

"有这种图画的地方很危险，大家要小心！"

你真棒！

dāo
刀

⚠ 美羊羊想用刀切苹果。

小羊们大叫："危险！小心！"

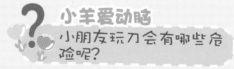

liǎng 两　bàn 半

苹果一下子被切成两半!

xià
吓

美羊羊吓得说："好险哪!"

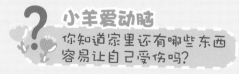

懒羊羊一个人在山上跑来跑去。

小羊们大叫:"危险!小心!"

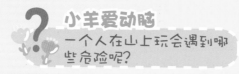

luò
落

大大小小的石头落了下来。

你真棒!

懒羊羊吓得说:"好险哪!"

小羊爱动脑
你知道和爸爸妈妈出门郊
游时应该注意什么吗?

35

huǒ

火

沸羊羊在玩火。

小羊们大叫："危险！小心！"

不好，羊村起火了。

沸羊羊吓得说："好险哪！"

这时，灰太狼来了！

guān
关

羊村关着的大门被它打开了。

灰太狼抓走了小羊。

路上，灰太狼第一次见到这样的图画，他问："这是什么？"

小羊们大叫："危险！小心！"

你真棒！

灰太狼不听，用手去摸，一下子被电飞了。

小羊爱动脑
你知道家里有哪些东西碰了会触电吗？

迷宫游戏

小羊要去村外找青草，但是外面有好多陷阱，你能告诉小羊怎么走才安全吗？

嘿嘿！

火

刀

电

青草

石头

tú	huà	kè	dāo	liǎng
图	画	课	刀	两

bàn	xià	wēi	xiǎn	huǒ
半	吓	危	险	火

diàn	guān	zhuā	tīng	luò
电	关	抓	听	落

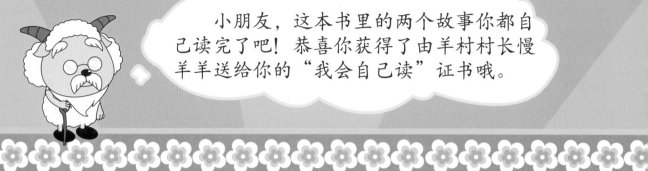

小朋友，这本书里的两个故事你都自己读完了吧！恭喜你获得了由羊村村长慢羊羊送给你的"我会自己读"证书哦。

"我会自己读"第三级证书

（请贴上小朋友的照片）

小朋友：

恭喜你获得了羊村村长慢羊羊发给你的

"我会自己读"第三级证书，你已经获得了三颗

红星星。

（请小朋友给星星涂上红色）

羊村村长
慢羊羊

小朋友们，读完故事，一起复习这些字吧！

一 二 三 四 五 爸 妈 我 你 它 大 小 多 少
哭 笑 气 怕 高 兴 人 天 家 门 口 牙 虫 只
朋 友 好 坏 白 回 吃 睡 进 出 来 去 说 问
叫 做 跑 没 个 有 不 要 六 七 八 九 十 上
中 下 里 外 太 阳 云 雨 雪 红 黄 蓝 绿 黑
花 草 树 木 山 鱼 鸟 虎 蛙 兔 地 球 河 水
冬 风 石 头 叶 心 冷 热 对 错 飞 走 开 光
送 给 房 屋 楼 窗 桌 椅 床 冰 箱 皮 衣 裤
袜 帽 鞋 围 巾 桃 苹 果 手 脸 脚 眼 睛 生
日 礼 物 岁 今 明 早 午 晚 阴 晴 鼠 龟 他
安 全 危 险 火 电 刀 图 画 课 老 急 忙 快
慢 两 半 在 是 她 方 圆 前 后 左 右 脏 乱
干 净 坐 站 拿 起 追 赶 找 打 扫 搬 唱 歌
跳 舞 想 看 见 听 捉 抓 关 推 拉 摔 玩 盖
动 落 到 吓

图书在版编目（CIP）数据

喜羊羊与灰太狼宝宝自己读. 第3级. B，生日礼物／广州原创动力文化传播有限公司著 ；童趣出版有限公司编. — 北京 ： 人民邮电出版社，2010.2

ISBN 978-7-115-22275-6

Ⅰ. ①喜… Ⅱ. ①广… ②童… Ⅲ. ①故事课 – 学前教育 – 教学参考资料 Ⅳ. ①G613.3

中国版本图书馆CIP数据核字（2010）第014114号

喜羊羊与灰太狼 宝宝自己读 第三级
生日礼物

根据广州原创动力动画设计有限公司制作的动画片改编

策划编辑：	孙 蓓
责任编辑：	程 蕾
绘　　图：	陈 文　胡 庆
封面设计：	杜 平
排版制作：	北京水长流文化发展有限公司

编　　译：	童趣出版有限公司
出　　版：	人民邮电出版社
地　　址：	北京市东城区交道口菊儿胡同七号院（100009）
网　　址：	www.childrenfun.com.cn

读者热线：	010-84180588
经销电话：	010-84180459

印　　刷：	北京华联印刷有限公司
开　　本：	889×1194　1/20
印　　张：	2.5
字　　数：	40千字
版　　次：	2010年4月第1版　2012年10月第11次印刷
书　　号：	ISBN 978-7-115-22275-6
定　　价：	10.00元